mwy o limrigau

PRYSOR

Argraffiad cyntaf: Hydref 2007

Rhif Llyfr Safonol Rhyngwladol:
1-84527-156-4
978-1-84527-156-5

Cyhoeddwyd gan Carreg Gwalch Cyf, Ysgubor Plas, Llwyndyrys, Pwllheli, Gwynedd LL53 6NG.
ebost llyfrau@carreg-gwalch.co.uk
lle ar y we: www.carreg-gwalch.co.uk

Teitlau eraill yn y gyfres:
limrigau PRYSOR
stompiadau POD
penillion HUW ERITH
englynion DAN BWYSAU
rhigymau WIL SAM
raps HEDDIW
hiwmor HEDD
bedachingalws JÔS

barddoniaeth boced-din

mwy o limrigau

PRYSOR

barddoniaeth boced-din

pe bawn i'n limrigwr o fri
fe sgwennwn gyfrolau di-ri
o berlau masweddus
a hollol anweddus,
a'u gwerthu i bobol fel chi.

I Iol Bach

canibaliaid â'm daliodd yn Guinnea,
a'm taflu i grochan i'm berwi,
ac mi fyddent 'di 'mwyta
onibai imi'n gynta,
gachu ynghanol eu cyri.

* * *

un noson cyn imi fynd adra
o'r Tap, mi welis fy nghyfla,
i biso'n reit slei
ym mhoced crys Dei,
a'i adael i gysgu tan bora.

* * *

I 'Frenin y Pysgod' – trwmpedwr o Lanrug – yn fuan ar ôl helynt dŵr Llyn Cwellyn
dwi'n nabod ambell bysgodyn
a phob un yn yfed yn sydyn
ond mae gan hwn ffasiwn syched
ar ôl chwarae ei drwmped,
mi yfith o gachu Llyn Cwellyn!

pan oeddwn ar ganol fy swper
yn y Mans, fe gofiais fy mhader,
ac ar dipyn o ras
fe ddwedais fy ngras,
ac yna fe fwytais y ficer.

* * *

pan oeddwn ar ganol fy swper
fe gollodd y musus ei thymer
a llenwi fy nghlustia
'fo tameidia o basta,
a 'di ddim 'di gneud hynny ers amser.

* * *

pan oeddwn ar ganol fy swper
mewn restront oedd yn rhy llawn o'r hanner,
gollyngais 'un fach'
yn dawel, heb strach,
a gwagiais y lle heb anhawster.

pan oeddwn ar ganol fy swper
mewn restront Tsieinîeg yn Aber,
neidiodd wêtyr o nunlla,
efo cleddyf, fel ninja
a thorri fy nŵdls yn hanner.

* * *

pan oeddwn ar ganol fy swper,
fe gollodd y tatws eu tymer
efo'r moron a'r pys,
oedd yn codi dau fys
a thynnu tafodau ers amser.

* * *

Testun: 'Methu Cysgu'
dechreuais, tra'n gorwedd yn 'gwely,
gusanu y wraig, a'i hanwesu,
ond er imi'i chosi,
yr un oedd y stori,
methu'i deffro, a fi'n methu cysgu.

* * *

rôl cyfri dros filiwn o ddefaid
a gwylio pry cop yn dal pryfaid,
mi es i nôl sosban
a waldio fy nhalcan,
ac o'r diwedd fe gauais fy llygaid.

* * *

ro'n i'n chael hi yn anodd iawn cysgu,
ro'n i'n wlyb ac yn oer, ac yn rhynnu;
tro nesa dwi'n campio
ar y traeth, mi wnaf gofio
am y llanw cyn rhoi'r babell i fyny.

rôl bod wrthi'n trio cynganeddu
am oriau, nes mod i bron drysu,
meistrolais y Draws
a'r Lusg, oedd yn haws;
ond wedyn, 'fedrwn i'm cysgu.

* * *

mewn gwesty bu raid imi rannu
stafell 'fo ffrind oedd yn chwyrnu,
ar ôl teirawr ddi-baid
aeth yn fater o raid
rhoi gobennydd drosto a'i fygu.

* * *

cym botelaid o wisgi, os trwbwl
mynd i gysgu, ac yfa y cwbwl;
os wyt dal yn effro,
wnei di ddim teimlo
pan fyddai'n dy hitio 'fo mwrthwl.

Tony Blair yn methu cysgu
bob nos rwyf yn troi ac yn trosi
nid bod llawer o ddim yn fy mhoeni,
mae 'nghydwybod i'n glir
er bo 'nghelwydd yn hir,
ond wir, mae fy nghlustiau fi'n cosi.

* * *

Y Smotyn Symudol
Ewro 2004, Lloegar allan ar benaltis: ymysg petha eraill, cwynwyd fod y tir meddal ger y smotyn gwyn wedi achosi i'r bêl symud cyn cael ei chicio.
rôl colli ar giciau o'r smotyn,
cwyno maent fod y reff yn eu herbyn,
a bod y penalti spot
wedi symud lot,
a'r gôli 'di symud rhy sydyn.

Y Winc
Cwpan y Byd 2006, Lloegar allan ar benaltis: ymysg petha eraill, cwynwyd fod Ronaldo wedi perswadio'r reff i roi Cerdyn Coch i Rooney.

rôl colli ar giciau o'r smotyn,
cwyno maent fod y byd yn eu herbyn,
a bod Ronaldo 'di wincio,
ar ôl iddo lwyddo
i dwyllo'r reff dall i roi cerdyn.

* * *

I brynwraig 'Limrig gan Dewi Prysor' mewn ocsiwn elusennol diweddar

mewn ocsiwn yng Nghlwb Rygbi Blaena,
miliynau o ferchaid oedd yna,
i gyd isio limrig
gan Brysgodyn llithrig,
ond Carolyn oedd y gyflyma!

mi glywais am ddyn o Sir Fôn
a fwytodd fast mobeil ffôn,
a phan mae o'n siarad
does dim byd i'w glywad
ond bîpian a nodau ringtôn.

* * *

mi glywais am ddyn o Sir Fôn,
am ryw reswm, a lyncodd ei ffôn,
gorfu fynd i'r ysbyty
yn canu a canu,
a ffraeo 'fo'r deialing tôn.

* * *

mi glywais am ddyn o Sir Fôn
a lyncodd ddwy fobeil ffôn,
a nawr mae'n garcharor
mewn seilam ym Mangor,
yn siarad 'fo'i hun, 'nôl y sôn.

mi glywais am ddyn o Sir Fôn
oedd yn or-hoff o'r haul, yn ôl sôn,
fe alwodd ei fechgyn
yn Heulyn a Hafwyn
a'i ferched yn Heulwen a Dawn.

* * *

mi glywais am ddyn o Sir Fôn
a fagwyd ar sbinag a brôn,
fe giciodd o dorth
yn syth dros Bont Borth,
a rhedeg i'w dal hi, 'nôl sôn.

* * *

mi glywais am ddyn o Sir Fôn
a symudodd i fyw'n Perpignion,
nawr ma'n byta llyffantod,
a malwod mewn nionod,
a gyrru'r ochr arall i'r lôn.

mi glywais am ddyn o Sir Fôn
sydd â gwyneb triongl, 'nôl sôn,
a hwnnw'n un hir,
o'i gorun i'r tir;
maen nhw'n alw fo'n John Toblerone.

* * *

mi glywais am ddyn o Sir Fôn
a yrrodd stîmrôlar 'ddar lôn,
drwy ardd fèj y Prif Blismon,
a gwneud lobscows o'i foron,
a troi'i datws o'n greision, 'nôl sôn.

* * *

mi glywais am ddyn o Sir Fôn
a yrrodd ei gar 'ddar y lôn,
i ardd Margret Wilias
a chwalu'i begonias,
ond mae o'n foi iawn yn y bôn.

mi glywais am ddyn o Sir Fôn
oedd yn pwyso chwedeg-pum stôn,
roedd o'n ista yn daclus
yng nghanol yr ynys,
rhag ofn 'ddi droi drosodd, 'nôl sôn.

* * *

mi glywais am foi o Sir Fôn
a yrrodd ei dractor 'ddar lôn,
drwy batsh rwdins y doctor
efo rotofêtor,
a stwnshio'r job lot, 'nôl y sôn.

* * *

Limrigau yn cynnwys enw lle
roedd dyn bach o ardal Llandudno
mor ysgafn, 'mond owns oedd o'n bwyso;
mi darodd o rech
ym Mae Colwyn am chwech –
am ffaif-pást roedd o'n pasio Toronto.

roedd gofalwr ysgol o'r Bermo
yn cysgu mewn cwpwrdd dros ginio,
bu'n troi ac yn trosi
mewn poen, ac yn gweiddi,
cyn deffro 'fo brwsh fyny'i din o.

* * *

roedd boi bach o ardal Mathrafal
mor frau, roedd o'n torri yn amal,
fe chwalodd ei hips
wrth agor bag crips,
a'i ddwylo wrth afal mewn afal.

* * *

rhoddwyd ganja i mewn yng nghacenna
a phaneidia cynghorwyr y Blaena,
ac erbyn 'ddyn nhw gallio,
roeddynt wedi gefeillio
y dref efo Kingston, Jamaica.

glaniodd aliens yng Ngherrigydrudion
ac i mewn â nhw i'r White Lion,
ond meddai y barman
na ddalltai eu hacan
"Wnawn ni'm syrfio pobol Caernarfon."

* * *

mi brynodd fy nghefnder goloman,
un styfnig, nad oedd isio hedfan,
un diwrnod, yn flin
rhoddodd gic yn ei thin,
ac mi redodd 'rholl ffordd i Langollan.

* * *

fe ddysgodd fy wncl ei fwji
i wneud triciau a styntiau reit scêri,
ond un bore yn Nefyn,
fe laddwyd y deryn
pan dorrodd y lastig naid bynji.

mae Wil wedi dysgu wiwerod
i actio mewn pornos, heb swildod;
tro cynta imi rioed
weld secs ar ben coed
a wiwerod yn mynd 'fatha cningod.

* * *

tafarn ar 'diawl ydi'r Cŵpyrs,
llawn beirdd a cherddorion, a nytyrs;
lle hawdd i fynd iddo,
ond anodd dod o'no,
deud gwir, ma'r lle'n hollol boncyrs.

* * *

Dydd Gŵyl Dewi 2004
fe daflwyd rhyw foi 'renw Dewi
i grochan o gawl oedd yn berwi,
a dechreuodd o nofio
y bac-strôc, a brolio,
"Mae'n boeth, ond mae'r cennin 'ma'n lyfli!"

roedd dynas o ddinas Manchester
yn cadw ei chont ar y dresser,
ni allai hi drystio
neb arall i'w dystio,
roedd hi'r gont fwya unig ers Thatcher.

* * *

roedd dyn o ardal Rhosgadfan
yn cadw ei goc ar y pentan,
tan un bore, fe ddengodd,
ac allan y rhedodd,
a ffwcio pob twll yn Rhostryfan.

* * *

rhyw ddynes o ardal Rhosgadfan
oedd ofn am ei bywyd fynd allan,
roedd hi'n meddwl fod Groeslon
yn llawn hŵrs a lladron,
a bo'r Diafol yn byw yn Rhostryfan.

14/04/04
heddiw, mae fy chwaer, Manon
yn dri deg pump oed ar ei union,
ond ma'i dal yn ieuengach
na'i brawd, ac yn gallach;
mae o'n dri deg chwech ac yn wirion.

* * *

Priodas Sian a Rich, Awst 2003
dreifar JCB ydi Richie,
a thra'n tyllu un bore, bu'n poeni,
a fyddai'i machine
yn un digon mean
i agor ffosydd i Siani.

* * *

Cais Pentrefoelas am gamera cyflymdra: dywedwyd na chaent un, hyd y byddai tri marwolaeth ar y ffordd
mae Pentrefoelas 'sio camera
i rwystro ceir sbîdio drwy'r pentra,
ond cyn ateb y galw,
rhaid i dri person farw;
pwy sy am wirfoddoli gynta?

Y Ferch o Ffrostiasol

yng ngwaelod sir Ceredigion,
mae pentref sy'n bod ar y cyrion,
ond darlledwraig genedlaethol
sydd gan Ffostrasol,
efo'r Bîb, yn darllen newyddion.

ers dyrchafiad y ferch o Ffostrasol
mae ei llais ar y radio'n foreuol,
yn llifo fel afon,
yn goeth a thwymgalon,
yn ffyddlon fel bara beunyddiol.

mae hi'n berffaith i ddarllen newyddion,
gan fod rhaid bod yn slic ac yn brydlon,
mae hi'n siarad mor sydyn,
mae'r rhaglen ddaw wedyn
bum munud yn gynt – dyna safon!

Llinell osod Sesiwn Fawr
petasai'r hen Gadair yn soffa
mi fyddai mor uchel â'r Wyddfa,
ac yn ddiawl o le da
i ladd Saeson 'ny'r ha,
o! petasa, petasa, petasa...

* * *

"petasai'r hen Gadair yn soffa!"
pwy ddiawl a feddyliodd am honna
fel llinell i limrig?
Nid fi, ffwc o berig...
ond rhywun reit despret, dwi'n ama!

* * *

petasai'r hen Gadair yn soffa
byddai'n lle da i chwilio am betha,
fel fy ffags a fy nghôt
a'r ffwcin rimôt,
lawr y cefn efo'r fflyff a'r ceinioga.

petasai'r hen Gadair yn soffa,
gorwedd wnai Idris – ddim ista,
a byddai ei goesa
yn hongian dros 'rochra
a'i draed wedi chwalu Dolgella.

* * *

Anffawd
roedd Phil Gaff yn rifyrsio'n ofalus,
yn dilyn y pafin yn daclus,
yn lle sbio'n y mirror
i weld lle oedd y tractor;
tro nesa bydd fwy gwyliadwrus.

* * *

"Pe bawn i'n limrigwr o fri,"
medda Ifan Prys wrtha fi,
"Rhown bigiad yn ochor
dy oes aur di, Prysor!"
"Dream on, Ifan bach," medda fi.

“Pe bawn i’n limrigwr o fri,”
medda Ifan Prys wrth bi-pi,
“Rhown bigiad yn ochor
dy oes aur di, Prysor,
erbyn sdeddfod dwy-fil-saith-deg-tri.”

* * *

rhyfeddais pan glywais y stori –
hanner awr i gael dwsin mewn Mini,
ac wedi troi chwech
fe darodd un rech,
roeddent allan am bum munud wedi.

* * *

Sgandal etholiad Bush v Kerry
cefais fôt electroneg eleni,
ac wrth imi bwyso ‘John Kerry’,
daeth neges bach blin
i fyny ar y sgrin,
yn deud ‘Sori, mae’r peiriant ’di torri!’

roedd Wil am nofio y Sianel,
tra'n gwisgo dim byd ond trôns fflanel,
ond wrth dorri ias
fe drodd o yn las,
a daliodd y trên drwy y twnnel.

* * *

roedd taid Wil yn dransfestait o'r Barri,
wisgai sodlau main, hir fatha ledi,
ond wrth dorri mawn
ar y mynydd un pnawn,
fe suddodd i'r fawnog a boddi.

* * *

triodd Wil dorri record buta chilli,
ac mi wnaeth yn reit glodwiw, cyn colli,
ond drannoeth, 'ny toilet
am bedair awr solet,
fe dorrodd y record am weiddi.

torrodd Wil y record am neidio,
pan neidiodd o'r Rhyl i Landudno,
ond mi gafodd waharddiad
ar ôl i ymchwiliad
ffeindio mai chwanen oedd 'i nain o.

* * *

Testun: 'Meddwl'
mae bobol yn meddwl nad ydwi
yn cymryd pethau o ddifri,
ond nhw sydd ar fai,
'sa nhw'n poeni chydig llai,
'sa nhw'n gweld bod yr holl fyd yn sili.

* * *

tra'n eistedd mewn llyn chwîd yn meddwl
fy mod i ar un tro yn benbwl,
sylweddolais fy mod-i
un adeg yn jeli,
ond sgennai *ddim* cof o hynny o gwbwl!

dwi'n poeni yn enbyd ar brydia,
am bopeth, o'm dannedd i'm hernia,
am ddiwedd y byd,
a bod petrol rhy ddrud,
a'r pleb sy'n arlywydd America.

* * *

bydda i'n colli fy meddwl weithia,
yn gynnar yn bore gan amla,
ond erbyn y pnawn
mae popeth yn iawn,
rôl ei ffeindio mewn twll rhwng fy nghlustia.

* * *

mae fy meddwl i'n mynd ar adega,
mae'n crwydro, a breuddwydio am betha,
fel pêl-droed a merched,
a thorri syched,
ond ddim wastad yn y drefn yna.

dwi'n meddwl yn ddwys iawn ar brydia,
ac yn poeni am bopeth am ddyddia,
am gyflwr y byd
a'r trais ar y stryd,
a'r nytar sy'n byw yn drws nesa...

* * *

wrth gwrs mod i'n poeni am betha,
fel dyfodol ein hen gymuneda,
ond ar ddiwedd y dydd
fi yw'r un sydd,
yn poeni'n fy nghwrw, gan amla...

* * *

rhywle dan wallt Rhodri Morgan
mae mwnci bach blin efo organ,
a phan gaiff 'switch on',
mae o'n chwarae tiwn gron,
a honno'n un fflat fatha tartan.

fel plentyn ni ddalltwn y dalltings,
am lyfra efo 'ffêc hapi endings',
a bod Jaci Soch druan,
go iawn wedi gorffan
ei fywyd mewn pacad porc sgratshings.

* * *

Testun: 'Brechdan'
mae aliens yn gallu gneud brechdan
mewn dim-pwynt-dau-pump chwinciad chwanan,
a ma' nw'n gneud panad
mewn dim-pwynt-dau eiliad,
dwi'm yn siŵr faint mai'n gymryd i gacan.

* * *

roedd stiwdants yn sownd ar Yr Aran,
a rhyngddynt doedd ganddynt ond brechdan,
ond er llwgu, a ffrostbeit,
doedd neb isio Marmite
heblaw'r boi oedd bia hi, Alan.

cym giwcymbyr, ham a letusan,
a rho nhw yn ddel ar dy frechdan,
heddiw ti'n buta
y frechdan flasusa,
a fory ti'n cachu hi allan.

* * *

un beryg i'w chroesi oedd Rhian,
doedd hi'n cymryd dim nonsans, 'rhen hogan,
gadawodd ei chariad
efo'i goc yn ei bocad,
a'i geillia 'fo picyls mewn brechdan.

* * *

Testun: Limrig yn cynnwys enw unrhyw le yn y byd
roedd dynes yn byw draw yn Leipzig
â'i gwddw 'di'i wneud o elastig,
roedd wastad yn nodio
fel ei bod yn cytuno,
a'i blow-jobs hi'n ffwcin ffantastig.

roedd dyn o fynyddoedd yr Urals
wedi ei anfarwoli mewn miwrals,
ond disgynnodd y waliau
bron iawn at eu seiliau,
a does dim byd i'w weld ond ei sandals.

* * *

roedd dyn bach yn Rio de Janeiro
yn yfed galwyni o inc beiro,
'Sa 'di gallu sgwennu cerddi
efo'i biso, neu stori,
neu nofel – mond papur oedd isio.

* * *

roedd dyn bach yn byw yn Hong Kong
â'i goc o'n tyfu ffor' rong,
a roedd o'n cael codiad
bob tro'r oedd o'n cerddad,
ac yn ffwcio ei hun all day long!

roedd dyn bach yn Wales, yn Alaska
yn mynnu mai nhw oedd y cynta',
roedd rhaid imi'i sodro,
cyn gallu'i ddarbwyllo
mai 'Cymru' 'dan ni'n ddeud yn fa'ma.

* * *

roedd dynes yn byw yn Quebec,
oedd, go iawn, yn robot hei-tec,
roedd hi'n ffwc ffantastic
ac yn economic,
ac yn derbyn Digidól Es-Pedwar-Ec.

* * *

roedd dyn bach o ardal Llangrannog,
wisgodd drowsus 'di 'neud o flew llwynog;
wedi ista'n 'rardd ffrynt
ei dŷ, ddiwrnod 'hunt',
doedd dim byd ar ôl ond ei falog.

roedd dyn bach yn byw yn y Bala
yn cael min pan welai afala',
fe'i daliwyd heb drowsus
yn gneud pethau anweddus
i'r cocsus, tu allan siop ffrwytha.

* * *

rhyw ddyn bach o ardal Trefin
roddodd drwmped i fyny ei din,
a gneud sŵn ofnadwy
wrth rechan Myfanwy,
a mwrdro God Sêf Ddy Cwîn.

* * *

mae dyn bach yn byw draw yn Woërttog,
efo gwefan am ferched sy'n flewog,
ei enw yw Hans,
a mae ganddo, drwy jians,
lot fawr o ffans yn Nhudweiliog.

roedd dyn bach yn byw'n Guadelupur,
oedd wastad yn piso'n y cwpwr',
mae'n broblem gyffredin,
o Groeg i Gaeredin;
gwnes innau'r un peth yng Nghasllwchwr.

* * *

roedd dyn bach o ardal Trefin,
methu ffeindio dwy danjerîn,
roedd un 'di disgeisio
ei hun fel tomato,
a'r llall wedi cuddio'n ei din.

* * *

Testun: 'Plu'
plu sydd gan bob coloman,
pob pelican, ostrij a chwadan,
pob parot, pob bwji,
pob iâr a phob twrci,
ond blew sydd gan bob llygodan.

rhyw ddyn o ardal Llanfaethlu
fwytodd chwadan yn fyw tra yn cysgu,
doedd o'n cofio dim byd
nes gafodd o hyd
i blu ynghanol ei gachu.

* * *

dysgodd Wil ei ieir i lap-dansio,
gan araf dynnu plu wrth stripio,
a dodwy eu wya
yn daclus ar linia
cwsmeriaid clwb Tôris Llandudno.

* * *

aeth ieir o Lanstumdwy i sgota,
heb leisans, yn gynnar un bora,
fe'u daliwyd gan gipar,
yn clwcian a chlochdar,
wrth ffraeo pa blu oedd y gora.

mae gan Wil ffetish am adar
efo plu neu heb, 'dio'm yn sticlar,
fe ffwciodd gyw iâr
yn Kwiks Aberdâr,
a rŵan mae o'n y carchar.

* * *

mae Dei Bach yn ysgafn fel pluan,
ac o dafarn i dafarn mae'n hedfan
mae o'n deud fod o'n rhatach
ac yn llawer cyflymach,
na theithio mewn tacsi i bobman.

* * *

roedd gennai fwji'n y tŷ
nes un diwrnod yr aeth o'n rhy hy
a chael diwedd go ddiflas
yn y tanc llawn piranas,
a fwytodd bob peth ond ei blu.

ger atomfa Wylfa un diwrnod,
cafwyd iâr heb ddim plu, sy'n beth hynod,
â'i thin hi'n goleuo,
yn goch fel mast Nebo,
a'i wya 'di berwi yn barod.

* * *

dweud 'l' yn lle 'r' mae Wil Foty,
ond ddalltai y wêtyr mo hynny,
wrth wrthod ei goelio,
pan oedd Wil yn esbonio
mai'r 'plu' yn y sŵp wnaeth o chwydu.

* * *

Testun: 'Bwyd'
ar gopa y Garn mae 'na Yeti,
sy'n dwyn tuniau bêcd bîns a sbageti,
a dio'm yn stopio yn fan'na:
pan es yno mis dwytha,
mi ddwynodd y basdad fy het i.

un cyfleus ar y diawl ydi Elin,
hi yw'r hogan handïaf, o dipin,
mae'n boeth fatha mwstard,
ac yn felys fel cwstard,
yn addas i ginio a phwdin.

* * *

merch hynod a hawddgar yw Heddus,
a'i phwdin hi wastad yn flasus,
petâi yn gwneud cinio
sy'n blasu fel honno,
mi fyddwn yn hynod o hapus.

* * *

cafodd Dudley dipyn o rymbl,
tra'n ffilmio sioe gwcio'n y Tymbl,
pan ddaeth pyrfyrt afala',
fel bwlet o nunlla,
a phlannu ei goc yn y crymbl.

daeth Wil yn ffrwd yng ngheg Llinos,
nes, i foddi, bu Llinos yn agos,
bu'n tagu a phoeri,
ond doedd Wil ddim yn sylwi
wrth futa ei bacad Doritos.

* * *

bu cyflafan i lawr yn Weight Watchers,
pan saethwyd y cwbl o'r slimmers,
gan adict Ryvita
oedd wedi gor-fwyta,
ac yn amlwg 'di troi'n hollol cracyrs.

* * *

...ac, yn dilyn cais y Meuryn am fwy o'r odl fewnol mewn limrigau...

gall gormod o seim-fwyd greu damej,
gall arwain i flocej, a hemrej,
cei gadw dy sosej,
cymeraf i gabej,
mae fej yn rhoi ryffej i'r pasej.

I groesawu fy mam yng nghyfraith i fyw i'r gogledd

mae Sian wedi symud i Bethel,
doedd Caerfyrddin ddim digon tawel,
â minnau yn Blaena,
does dim cymaint o siwrna
i deithio i dŷ'r 'fam yng nghythrel'!

* * *

er imi ei siarsio a'i siarsio
i golli'r bol cwrw, a siafio,
mae dal yn rhy dew,
o dan flanced o flew;
un sâl ydi'r musus am wrando!

* * *

er imi ei siarsio a'i siarsio
ble'r oeddwn am iddi fasajio,
bu'n rhwbio fy 'sgwydda,
fy nghefn a fy nghlustia,
pob man ond y lle'r oeddwn isio!

er imi ei siarsio a'i siarsio
na ffendith run adyn byw yno,
aeth ar bererindod
i Mars mewn llong ofod,
tra bo'r aliens i gyd yn Llandudno.

* * *

er imi ei siarsio a'i siarsio
mai difywyd a diffrwyth yw yno,
mae'n rhaid 'mi gyfadda
fod gan Mars rai rhinwedda
sy'n ei wneud yn well lle na Llandudno.

* * *

er imi ei siarsio a'i siarsio
i beidio â mentro mynd yno,
nid oedd o am wrando
ac i Mars yr aeth-o,
dwn im sut mae'n gobeithio dod o'no.

er imi ei siarsio a'i siarsio
i glymu'r rhaff lastig cyn neidio,
daeth yn amlwg na wrandodd,
ar ôl 'ddo fynd drosodd,
pan glywyd o'n sgrechian, "O damio!"

* * *

er imi ei siarsio a'i siarsio
i beidio â rhegi ar y radio,
roedd yr awyr yn las
a'r awyrgylch yn gas,
pan fethodd technoleg y blîpio!

* * *

er imi ei siarsio a'i siarsio
fod blondan Rhif Deg 'nei ffansïo,
"Faint sganddi'n y banc?"
oedd ateb y cranc;
bydd hwn yn hen lanc, gallwch fentro.

(Siopa Dolig)
er imi ei siarsio a'i siarsio
mai 'mynadd sy' piai, nid gwylltio,
aeth Jac Bach yn benwan
a marw o hartan;
tro ola i Jac fynd i Tesco.

* * *

Saddam
er imi ei siarsio a'i siarsio
i ddal eroplên draw i Rio,
mynnodd yr unben
fyw mewn twll cningen,
y cythral pengalad ag oedd o.

* * *

Limrig yn cynnwys 'Bethesda'
mi welis i'r aliens rhyfedda,
yn bodio eu ffordd i Bethesda,
ar fore dydd Llun,
efo un coes yr un,
a mi stopiais, a deud "Hopiwch mewn 'ta!"

pan on i’n Bethesda yn siopio,
cafodd hanner banana ei waldio,
gan ryw foi oedd yn ama’
nad oedd y banana
hanner mor flasus ag oedd o.

* * *

pa ramadegol fformiwla
a newidiodd ‘Bethesda’ i ’Pesda’?
a ydio’r un fath
a hwnnw a nath
‘Banana Brycheiniog’ yn ’Bana’?

* * *

breuddwydiais ’mod i’n rhedeg am oria,
ar ôl lori lechi o Blaena;
roedd honno’n cau sdopio,
a minnau bron nogio,
pan ddeffris ar stryd fawr Bethesda.

os ti'n chwilio am Tryfan yr ha 'ma,
dos ar yr A5 am Bethesda;
o gyfeiriad Blaena
mae o'r ochr agosa,
ond o Landegái, 'rochr bella.

* * *

Llinell osod Beirdd v Rapwyr:
un peth sy 'na'i ddeud am Dyl Mei,
mae o'n bell o fod yn foi shei,
mi yfith dy beint di
heb i ti sylwi,
deud gwir ma'n ffycar bach slei.

* * *

un peth sy 'na'i ddeud am Dyl Mei,
mae o'n bell o fod yn foi shei,
mi droith i fyny
ym mhob gig trwy Gymru,
ges i hyd iddo unwaith mewn pei!

un peth sy 'na'i ddeud am Dyl Mei,
sa fo'n disgyn i'r dŵr wrth y cei,
a'r llanw'n ei gario
o fa'ma i sir Benfro,
sa ni'n dal yn ei glywed o, glei!

* * *

un peth sy 'na'i ddeud am Dyl Mei,
mae o'n edrych yn doji a slei,
ei gerddoriaeth o sydd
yn llawn negeseuon cudd;
dwi'n siŵr fod y ffycar yn sbei.

* * *

un peth sy 'na'i ddeud am Dyl Mei,
mae o'n debyg i'r boi o Bombay
oedd yn sdwffio moronan
i din hogan goman,
ar rhyw raglan, un noson, ar Sky.

un peth sy 'na'i ddeud am Dyl Mei,
dio'm yn debyg i chicken stir-ffrei,
eith chicken 'di ffrio
efo pob math o ginio,
'di Dyl ond yn mynd efo pei.

* * *

un peth sy 'na'i ddeud am Dyl Mei,
dydio ddim yn foi crys a tei,
achos dydio'm yn barchus
na chwaith yn un taclus,
mae o'n hapus i edrych fel twat.

* * *

Llinell osod Beirdd v Rapwyr:
un noson pan on i'n mynd adra,
mi welis i glamp o fanana,
yn pîlio ei chroen
a gweiddi mewn poen;
tro ola imi yfad sambŵca.

un noson pan on i'n mynd adra,
'di gwario fy nghyflog bob dima,
gofynnais am syb
i fynd nôl i'r pyb,
ac mi ges, a myn diawl, dwi dal yma!

* * *

un noson pan on i'n mynd adra,
fe gollais fy het i yn rwla,
mi welis hi wedyn
ar ben rhyw gardotyn
a miloedd o chwain yn ei buta.

* * *

un noson pan on i'n mynd adra,
o dafarn go wyllt yn y Bala,
mewn syched a gwendid
mi yfais Lyn Tegid;
wel sôn am gur pen yn y bora!

Y terfysgoedd ym maesdrefi Ffrainc
mae'r Ffrancwyr wedi ypsetio,
a reiats ar y stryd unwaith eto,
ella bo nw'm llawn llath,
ond fyswn inna run fath,
taswn i'n gorfod dreifio ffwcin Renault.

* * *

Limrig yn enwi unrhyw ffrwyth
'Manchild' oedd cân Neneh Cherry,
a 'My Ding-a-ling', un Chuck Berry,
ac yn ddigon di-chwaeth
UB40 a ddaeth,
efo 'Cherry-oh, cherry-oh baby.'

* * *

rhoddodd Wil ddeg tanjerîn
yn daclus i fyny ei din,
a bob tro'r oedd o'n rhechan
ron nhw'n saethu syth allan,
at Bethan, a gneud honno'n flin.

fe ddudodd fy ngwraig un ben bora
"Ti'n rhy fach i fy mhlesio lawr fan'na!
Petae'n golchi llestri,
gneud bwyd, llnau ffenestri,
mi fyddwn 'di priodi banana."

* * *

pan on i'n yr ardd yn rhyw botsian,
ces fy hitio'n fy nghlust efo plymsan
gan foi tu ôl hej,
ond on *i'n* y patsh fej,
felly hitiais o'n ôl efo swejan.

* * *

(I'w hadrodd efo banana'n hongian o'r glust)
ffrwyth handi ar diawl di banana,
nid yw'n edrych o le bron yn nunlla,
gellir rhoi un mewn pwdin
neu mewn twrci 'fo sdwffin,
ond well gen i wisgo un, fel'ma.

Meleri ydi'n chwaer fach ieuenga,
ma hi'n byw draw yn ardal Bethesda,
ei chariad yw Meirion,
sy'n odli 'fo 'gwirion';
ddudwn ni ddim mwy am hynna!

* * *

Wan-nil
yn Frankfurt, mewn bar, roedd rhyw Aussie
yn honni iddo brynu fy llyfr-i,
roedd am im arwyddo
ei gopi fo iddo;
a mi wnes, fel y lemon ag ydwi!

Wan-ôl
dwi'n nabod boi o Fflint, 'renw Dewi,
gynllwyniodd, mewn bar, efo Aussie,
'lly dyma limrig mewn print
am dwat o Sir Fflint,
fydd un dydd yn difaru'i ddireidi!

dwi'n nabod cyfieithydd 'renw Løvgreen
sy'n foi bytholwyrdd – evergreen,
mae'r boi yn fardd – poet
canol oed – not yet past it,
dim cweit eto'n ffwndryn – no hasbeen.

* * *

roedd Cythbert ac Albert a Herbert
yn ffraeo pa flas oedd yr iogyrt,
roedd Cyth yn deud 'cherry',
a Herbie'n deud 'râsbri',
ac Albie'n cytuno 'fo Cuthbert.

* * *

un nos, pan on i ond ugian,
fe gefais fy hun ar ben coedan,
ni fedrwn i gofio
sut ffwc es i yno,
ma'n rhaid mod i allan o'ng nghneuan.

I gyfarch Lyn Ebenezer ar sgwennu llyfr am fragu cwrw yng Nghymru

dwi'n nabod Lyn Ebenezer,
a'i gwmni sydd wastad yn bleser,
ond mae'r Cardi, bob tro
dwi'n cael peint iddo fo,
yn cael un yn ôl mewn glas hanner.

mae'n nefoedd teims ten i dafarnwr,
ac ar gwrw mae'n arbenigwr,
ac mae'i astudiaethau,
fel ei frawddegau,
yn gneud llawer gwell sens os ti'n botiwr.

mae Lyn wedi crwydro o gwmpas
ei annwyl Geredigion – ei deyrnas,
mae 'di bod ymhob tre
a phentre'n y lle,
heblaw y rhai heb dŷ potas.

mae ei gyfran-ddaliadau yn Guinness
meddan nhw, yn eu cadw mewn busnes,
mae'i ben o'n foel,
a fo sy'n cynnal Felinfoel,
fo di'r bragiwr mwya mewn hanes.

yn ysbryd Pontshân, mae ei eiriau
yn chwedlonol o amgylch y parthau,
a nawr mae'i ffraethineb
a'i hynaws ddoethineb,
mewn cyfrol fydd o fudd mawr i ninnau.

dyma gyfrol am hanes y dyddiau
bragu cwrw i dirion dafarnau,
am y chwarae a'r gweithio,
a hefyd, gobeithio,
cyfrol llawn cyfarwyddiadau.

cawn ynddo, yn ffraeth ac yn gynnil,
drysorau fydd o fudd i bob trychfil
sychedig fel fi,
a thanciwrs fel chi;
hwn, o hyn allan, yw'r Beibil!

Ateb gwahoddiad parti priodas Sam a Leah
i'n cnesu, un bora, fel tonig,
daeth gwahoddiad i ddathliad arbennig,
dydd mawr Sam a Lei,
a gwaeddom, "Wehei!"
'dan ni'n dod – ma'n swnio'n ffantastig!

* * *

rhyw fardd o'r enw Twm Morys
enillodd rhyw gadair ym Mhowys,
fe ddaeth â hi adra
i ganol y stolia
fu'n gymaint o boen yn ei ystlys.

* * *

rhyw brifardd o ardal Llanstumdwy
freuddwydiodd ei fod o yn dodwy,
ond, yn y bora,
dim ŵy oedd yna,
ond cadar galad ofnadwy.

mae aliens yn hofran rownd Trefan,
efo pleiars, scriwdreifar a weiran,
mi ydwi yn tybio
eu bod nhw am weirio
cadair Twm Morys i'r trydan.

* * *

mae Pobol y Cwm wedi gwella
ers ei symud i bedwar y bora,
a newid yr actors
i ddefaid a tractors,
a dim ond pum munud ma'n bara.

* * *

aeth Dafydd i'r gwaith yn nics Elen,
rhai crotchless o sidan lliw hufen,
amsar panad fe rechodd
a'r cachu ddilynodd,
ni wisgodd nhw wedyn am sbelen.

Cymru v Lloegr, Caerdydd

daeth Beckham i Gaerdydd i chwara,
ac wedyn, ar ôl 'ddo fynd adra
dechreuodd o gwyno
fod y Cymry 'di bŵio,
ac amharchu'r frenhines Victoria.

* * *

daeth Beckham i Gaerdydd i chware
a'r lle, medda fo, oedd yn hunlle,
ond erbyn dydd Llun
cysurai ei hun,
drwy ddiolch na fu'n Abertawe.

* * *

mae'r boss yn glafoerio wrth siarad
a phan ddwedodd "dwi am gael dy warad,"
ges i sac o fy job
a'm gorchuddio mewn fflob,
a gadewais cyn cael yr esboniad.

Noson 'Glyn Tŵ Wyn'
(Glyn Wise yn ffeinal Big Brother)

yn y tŷ mae Cymro o Blaena,
ynghanol y bobol rhyfedda,
yn cael stoncar o fîn
wrth wylio Aisleyne
yn cerddad o gwmpas yn bora.

anghofiwch Lloyd George, yr hen geiliog,
mae 'na Gymro sy'n llawer mwy enwog,
ei enw yw Glyn,
a mae'n dod o fan hyn,
y 'Preim Ministyr' cynta o Stiniog.

am fethu gneud wy, mae o'n enwog,
a'i hoffter o ferchaid blond, bronnog,
ond am ei Gymreictod
y caiff ei adnabod,
y Cymro glân gloyw o Stiniog.

tra'n syllu ar sgrin ei liniadur
â'i lygaid yn cau fel cysgadur,
penderfynodd Wil bach
ei bod lot llai o strach,
i sgwennu 'fo pensal a papur.

* * *

Polisi'r Eglwys Babyddol ar gondoms, ac argyfwng AIDS yr Affrig

etholwyd Pab newydd yn Rhufain,
am fod yr un dwytha yn gelain,
ond mae hwn jest yn clôn
o'r llall yn y bôn,
a bydd Affrica'n dal i wylofain.

* * *

fe briododd Charles a Camilla
mewn gwasanaeth di-nod draw yn Windsah,
ni aeth y frenhinas
yn agos i'r briodas,
fe'i gwyliodd ar satellite, adra.

wrth gerdded o'r dafarn drwy'r eira,
yn noeth, heb ddim dillad na sgidia,
fe rewodd fy nghoc
mor galad â roc,
roedd y wraig yn falch iawn o'm cael adra.

* * *

wrth gerdded o'r dafarn drwy'r eira
ges i ffrae 'fo dyn eira go dena,
a alwodd fi'n 'ffati',
atebais, "Falla mod i,
ond o leia fyddai yma'n y bora!"

* * *

wrth gerdded o'r dafarn drwy'r eira,
gwelais wiwar yn buta banana,
"Sgin ti'm cnau?" medda fi
"Na," medda hi
"Ond mae gena fi dri phâr o fronna."

cyn pryd bwyd mae Wil yn dweud pader,
tra'n ista'n ben bwrdd yn ei gader,
mae'n diolch am gyri
a chips, pys a grefi,
er mai salad ma'n futa fel arfer.

* * *

daeth Cerys i Sesiwn Dolgella,
run amsar ag on i'n mynd o'na,
ac wrth groesi'r bont,
hitiais Tour Bus y gont,
oedd yn dreifio ar y dde fel America.

* * *

mae Batman wedi symud i Fangor,
cafodd ddamwain yn bog Ship 'n' Anchor
yn hwyr ar nos Lun,
pan bisodd ei hun
am fod balog ei siwt o'n cau agor.

wrth gyfeilio i Gôr Godre'r Aran,
fe drodd y bianyddes yn swejan
grwn ei phen ôl,
a disgyn o'i stol,
a rowlio i ffwrdd 'ddar y llwyfan.

* * *

wrth ganu mewn côr ar y llwyfan,
roedd llais y soprano yn gwegian,
a mi droiodd yn goch
a phiws ymhob boch,
yna'n las – roedd hi'n tagu ar fferan.

* * *

wrth ganu mewn côr ar y llwyfan
dechreuodd yr altos gyd-iodlan,
aeth y baswyr off côrd,
a'r tenors yn bôrd,
a'r baritons gyd-gerddodd allan.

wrth ganu mewn côr ar y llwyfan
aeth y cyfeilydd yn nyts yn y cytgan,
fe'i llusgwyd i ffwrdd
wedi'i strapio i fwrdd;
medd y beirniad, "Mae gin hwnna chwilan".

* * *

cyfododd bwgan brain Cymuned,
yn sydyn heb imi weled,
"Sut ddoist di i fan hyn?"
gofynnais yn syn;
dywedodd ei fod wedi cerdded.

* * *

pan ddaeth Carlo i'r Sioe, wsos yma,
ar ei fraich, oedd ei fusus, Camilla,
ond wedi gweld yr hen geir,
y defaid a'r ieir,
fe'i collodd ymysg y ceffyla.

Dai'n dangos Carlo rownd y Sioe Frenhinol

pan ddaeth Carlo i'r Sioe, wsos yma,
aeth Dai Jones yn wan 'nei benglinia;
wedi rowlio mewn cachu
o Fôn i Aberhonddu,
mae 'di dechrau ei lyfu oddar dina!

* * *

I Chris Bach, Llanfrothan, ar ei ben-blwydd yn hen iawn, iawn

pan oedd Chris Bach yn dathlu ei ddeugian
roedd tai'n cael eu gwerthu am sofran,
doedd dim Elvis, na Bob,
a dim sôn am y Cob,
ac roedd Nelson yn cwffio Napolian.

* * *

Tony Blair yn colli pleidlais 'carcharu am 3 mis heb dystiolaeth', yn y Senedd...

wedi colli'r bleidlais mae Toni,
a'r senedd heb goelio ei stori,
rŵan mae ei ddyfodol
i gyd yn y fantol,
a'i grib, fel ei wên, wedi torri.

wedi colli y bleidlais mae Toni
ac am fod yn ddi-waith mae o'n poeni,
fe allwn ei gysuro,
ond gwell genai beidio,
twll ei din o'r basdad bach coci.

...a'i ymateb
wedi colli'r bleidlais mae Toni,
ac yn cwyno ei fod wedi siomi;
mae o'n gweld yn bell,
ac yn gwybod yn well,
a mae democratiaeth mor sili!

* * *

mi fwytwn i gaglau tin mwnci,
ac yfad chŵd cwrw fy ffrind-i,
a mi lyfwn y fowlan
yn nhoilet tŷ Satan,
cyn twtsiad pen bys yn Jade Goody.

Baled Rhodri Morgan

wrth baratoi am gig River Bank
aeth fy meddwl, mwya sydyn, yn blanc,
ges i smôc bach o ganja
a can bach o Stella,
a mi sgwennis limrigau am granc.

ia, cranc, a'i enw 'di Rhodri,
y boi sydd yn was bach i Tony,
'main man' y Cynulliad,
lot o wallt, licio siarad,
dach chi'n gwbod y boi, ia – y bwli.

mae'i allu i rwdlan yn meiti,
malu cachu am chwîd, neu am rygbi,
mi siaradith am oria
ond dim 'fo ni'n fama,
achos "boring boring" di'n iaith-ni.

mae ar goll i'r "west" o Lanelli,
ac i'r gogledd o Ferthyr mae 'di'i cholli'i,
gofynnodd un bora,
"Lle ffwc mae Dolgella?"
atebodd ei wraig "yn dy wallt-di!"

mae'n rhyfadd, ond bob tro ma'n deud celwydd
mae 'na betha bach rhyfadd yn digwydd,
pan oedd ar Dragon's Eye
fe rowliodd mins pei
o'i wallt o, i lawr dros ei ysgwydd.

ma'n cael atac o paranoid-psychosis
os dio'n rwla heb restronts a taxis,
gath o'i ddysgu gan Dada
i beidio "mynd dros y Banna,
chos ma pawb fyny ffor'na yn natsis."

ond er hawdd ydi chwerthin ar Rhodri,
rhaid cymryd y matar o ddifri,
achos mae'r Prif Weinidog
haerllug, hirwyntog
a'i blaid, yn sarhad ar ein gwlad-ni.

* * *

mi brynodd Wil declyn bach handi,
set watsh, efo gajets go ffansi,
roedd yn gyrru e-bôst,
a gneud panad a thôst,
ond roedd uffarn o seis ar y batri.

* * *

mi brynodd Wil declyn bach handi
ac yna gwadu'i fod wedi,
a wedyn deud fod-o
cyn deud 'na' wedyn eto;
dwi'm yn siŵr os nath o go iawn, 'chi.

* * *

fe brynodd Wil declyn bach handi,
remôt iwnifyrsal, i'r teli,
ond wrth chwilio'm Sky Premiar
fe zapiodd o radar
Stealth Bomar, a niwciwyd Caergybi.

fe brynodd Wil declyn bach handi,
treipod a telisgôp teidi,
a welai'r planedau,
y sêr a'r lleuadau,
a cheillia Ems Bach, os ti'n sylwi.

* * *

mi brynodd Nic declyn reit handi
i hongian Ems Bach yn y pantri,
a stretsio ei geillia
reit lawr at ei sodla,
a'u hollti nhw'n strips o sbageti.

* * *

fe brynodd Wil declyn bach handi,
Dyfais Tracio, er mwyn dilyn Mandi,
ond arweiniodd y tracker
Wil bach i Manchester,
tra bo Mandi yn ffwcio'm Mhwllheli.

mi brynodd Wil declyn reit handi,
oedd yn troi pob un slapar yn secsi,
mi aeth â fo adra
a'i drio ar Martha –
â eisteddodd arno a'i dorri.

* * *

mi es i draw i'r Eisteddfod,
a phrynu ci poeth, efo nionod,
gan rhyw slebog difynadd
oedd â'i wynt rhwng ei ddanadd,
heb air o Gymraeg ar ei dafod.

* * *

un rhyfedd yw Dafydd drws nesa,
mae'n dioddef o ffôbia am ffrwytha,
mae'n cael paranoia
pan welith fanana,
ac yn mynd yn bananas 'fo fala.

mi fentraf cyn bellad â'r lleuad
ar bedair mil milltir yr eiliad;
cychwynaf y daith
am chwartar i saith,
fyddai'n ôl erbyn deg i gael panad.

* * *

"Mi fentraf cyn bellad â'r lleuad,"
medda Dad, a disgwyliom esboniad,
ond daeth dim eglurhad
o enau fy nhad,
cyn mynd lawr i'r Moon Inn i gael cratshiad.

* * *

mi fentraf cyn bellad â'r lleuad
efo tywod a sment, yn llawn bwriad;
mae'r lleuad rhy fach
felly heb fwy o strach
dwi am fynd i godi estyniad.

"Mi fentraf cyn bellad â'r lleuad,
mae o'n llawar rhy fach," medda Dwalad,
ac efo tywod a sment,
ac oxygen tent,
aeth yno i godi estyniad.

* * *

"Mi fentraf cyn bellad â'r lleuad!"
dyna'r olaf a glywyd gan Dwalad;
byddai wedi dod o'no,
ond fe gafodd ei fygio
gan Glanger, a cholli y goriad.

* * *

mi fentraf cyn bellad â'r lleuad,
yng nghwmni dau dwat a thri basdad,
dau lanc a dau Sais,
a boi'n gwisgo pais,
cyn af i Fagdad ddiwrnod marchnad.

"Mi fentraf cyn bellad â'r lleuad,
mewn twin-tyb!" medda Wil uwch ei banad,
ond doedd ganddo ddim map,
a thrwy ddamwain a hap,
fe lwyddodd i olchi ei ddillad.

* * *

mi fentraf cyn bellad â'r lleuad,
a chyn mynd, fe gaf gyri a salad,
ac wrth godi dros Loegar
caf gachiad a hannar,
i weld sut maen nhw'n licio'r syniad.

* * *

"Mi fentraf cyn bellad â'r lleuad,"
medda Wil, yn ei siwt fel croen Gwyniad,
ond llyncodd viagra
cyn cychwyn o adra,
a rhwygo ei siwt efo'i godiad.

"Mi fentraf cyn bellad â'r lleuad,"
medda Wil, ar ôl 'ddo gael cratsiad,
ond doedd ganddo ddim compass,
a glaniodd yn Malpas;
mi ddaeth adra, ond bu rhaid iddo gerddad.

* * *

"Mi fentraf cyn bellad â'r lleuad,"
medda Wil, pan gafodd o'r syniad,
ond uwchben Llangollan,
disgynnodd fel bricsan;
roedd drws cefn ei roced yn 'gorad.

* * *

"Mi fentraf cyn bellad â'r lleuad,"
medda Wil, â sglein yn ei lygad,
aeth i fyny y stryd,
yn mynd yn ei hyd,
ond mewn mis, roedd o'n dal yn Llangwnnad.

Fy mrawd

dyn cydnerth o'r Cwm ydi Rhys,
aeth i'r mynydd yn llewys ei grys,
mi redodd dros foelydd
a neidio dros nentydd,
heb golli diferyn o chwys.

* * *

mae drymar o'r enw Phil Jones,
sydd â'i ysbryd mewn oes cyn daeth ffôns,
mi sgwennodd o gân
efo Gwibdaith Hen Frân,
am y twll ynghanol ei drôns.

* * *

gen i ffrind o'r enw Gai Toms,
sydd yn hoff iawn o gapiau pom-poms,
rhai coch, gwyn a gwyrdd
fel trôns Mistar Urdd,
geith o byth wahoddiad i'r proms.

gen i ffrind o'r enw Dei Mur,
efo breichia uffernol o fyr,
er hynny mae'i goesa
yn hirach nag Asia;
mae ei ben ar y Space Station Mir.